EL AGUA SIEMPRE CAMBIA

WATER'S WAY

EL AGUA
SIEMPRE CAMBIA

Lisa Westberg Peters   Ilustrado por Ted Rand

SCHOLASTIC INC.
New York   Toronto   London   Auckland   Sydney

El agua siempre cambia. A veces viene del cielo y otras del mar.
Puede flotar como niebla o congelarse en un estanque durante el invierno.

El agua cambia todos los días en el suelo, en el cielo y en el mar.
El agua también cambia en la casa de Tony.

Era el comienzo del invierno. Afuera, la brisa volaba hacia las colinas y

Adentro, Tony miraba el cielo desde la ventana. Tenía en la mano su trineo nuevo y quería que nevara. Encima de la estufa, una olla despedía vapor y un rico olor a sopa llenaba la cocina.

Cuando la brisa húmeda del mar llegó a las colinas, subió y se enfrió.
En el cielo se formaron nubes.

Cuando el vapor de la olla llegó a la fría ventana de la cocina, cubrió el cristal con una cortina de niebla.

Afuera, comenzaron a caer unas gotas de lluvia. El aire no estaba lo suficientemente frío para que cayera nieve. Pronto, las casas y las colinas relucían tras la lluvia.

Adentro, Tony escribió su nombre en el cristal cubierto de niebla y miró afuera. De las letras de su nombre corrían pequeñas gotas de agua.

Una parte de la lluvia formó charcos. Otra parte empapó el suelo y las raíces de los árboles la bebieron con sed. Otra parte se filtró más abajo del

En el antepecho de la ventana se formó un charquito. Tony jugó con él y pensó que hoy no iba a poder deslizarse en su trineo.

El calor del sol de la tarde secó los techos de las casas. Los charcos se achicaron y los pinos perdieron el brillo del agua.

En la cocina, la niebla del cristal y el charquito de la ventana desaparecieron.

Al anochecer, el arroyo vecino estaba crecido por la lluvia. Corría con fuerza colina abajo, hacia el mar.

Después de la cena, Tony subió a bañarse. Abrió toda la llave y un chorro de agua y vapor llenó la bañera.

Cuando el arroyo llegó al mar, las olas saladas lo rodearon y lo mecieron, de aquí para allá, hasta que se mezcló con el mar.

Cuando Tony se metió a la bañera, puso en el agua unas gotas de jabón verde. En el mar de la bañera sus barcos se mecieron, de aquí para allá, hasta que las corrientes verdes se mezclaron y desaparecieron.

El viento agitó las olas y un cachito de mar se escapó al cielo. Era invisible, pero el olor del mar llenó el aire.

Tony agitó el agua de la bañera y creó burbujas en su mar. El olor del jabón llenó el baño.

Cuando la brisa del mar llegó a la tierra y encontró aire más frío, se formaron gotitas alrededor de motas de polvo. Las gotitas eran tan pequeñas que no se podían ver, pero al unirse formaron grandes nubes.

Cuando Tony salía del baño vio otro cristal cubierto de niebla, esta vez del agua de su baño.

Esa noche, el aire se enfrió mucho, tanto que las gotitas de las nubes se congelaron y formaron pequeños cristales de hielo. Los cristales crecieron y crecieron.

Toda la noche, Tony soñó con su trineo. Tony durmió cómodo y
abrigado debajo de sus mantas. Pero la niebla de la ventana del baño se
congeló y por la mañana era una capa de escarcha.

Al amanecer, las nubes estaban cargadas de cristales de hielo. Los cristales más grandes, muy pesados para flotar, comenzaron a caer.

Tony se despertó temprano esa mañana. Enseguida raspó un
clarito en la escarcha del cristal. ¿Haría suficiente frío para que nevara?

Las casas y las colinas apenas se veían detrás de la danza de los copos de
nieve. La nieve se posó sobre los techos y los pinos. También cubrió la capa
de hielo que cubría los charcos.

A Tony le cayó un copo de nieve en la cara. Deseó que durara para
siempre, pero pronto se derritió en su sonrisa porque...

el agua siempre cambia.

A mi nuera: Deb Henry Rand—T.R.

AGRADECIMIENTOS

La autora agradece su gentil ayuda a Gregory J. Spoden, de
Minnesota State Climatology Office, al profesor E. Calvin
Alexander Jr., del Departamento de Geología y Geofísica,
University of Minnesota, y a Julie Amper.

1 2 3 4 5 6 7 8 9 10   08   99 98 97 96 95 94 93